NORD NORGE

Landet og lyset

NORTH NORWAY

The Land and Its Light

Hilt & Hansteen

Nord-Norge – Landet og lyset
North Norway – The Land and Its Light

Copyright 1991 © Hilt & Hansteen a.s.

Billedredaksjon/Picture research:
Rainer Jucker, Pål Hermansen,
Torstein Hilt og Bjørn Hansteen-Fossum

Tekst/Text: Pål Hermansen

Engelsk oversettelse/English translation:
James Wesley Brown
Tysk oversettelse/German translation:
Lo Deufel
Fransk oversettelse/French translation:
Maud Forsgren
Spansk oversettelse/Spanish translation:
Heidi Bern
Japansk oversettelse/Japanese translation:
Hiroko Kimura Hjelset

Forside/Front cover: Pål Hermansen
Solnedgang over Moskenesøy, Lofoten, Nordland/
Sunset at Moskenesøy, Lofoten, Nordland

Forsidedesign og lay-out/
Cover design and typography: Rainer Jucker
Sats/Typeset by: Kirkerud Grafisk
Satt på japansk av/
Typeset in Japanese by:
Hiroko Kimura Hjelset
Repro/Reproduction by: Overtrykkeriet

Printed and bound in Norway
by Norbok a.s., Gjøvik

Hilt & Hansteen a.s.
P.O. Box 2040 Grünerløkka
0505 Oslo – Norway

ISBN 82-7413-168-1

Landskapet er mektig nord i Norge. Her på oppløpssiden til Svalbard og Nordpolen, fra Saltfjellet til Nordkapp, brer en unik tredel av kongeriket seg ut. Her er kysten mer forreven, øyene større, fjellene brattere og viddene videre enn lenger sør. Menneskene er færre og ensomheten større. Vindene er hardere og snøkovet biter skarpere vinterstid. Fuglevingene er kjappere og bjørkeliene grønnere sommerstid.

I årtier på årtier har Hurtigruta vært selveste livsnerven i dette langstrakte eventyrlandet, binde-leddet mellom de små, isolerte fiskeværene og de moderne tettstedene, mellom fjell og fjord, øy og fastland. Uavbrutt stamper den døgn etter døgn gjennom dønninger og brottsjøer, storm og stille – med mat, medisin, varer og kjærlighetsbrev.

Torghatten

Norge

Nord-Norge er et rikt land. Havet har alltid vært det viktigste spiskammeret, – en venn, men samtidig også en fiende med mange liv på samvittigheten. Lengst mot nord går noen av verdens beste lakseelver strie. På de endeløse viddene beiter reinsdyr som gir opphav til norsk gourmet-kjøtt, og på gulnende myrer vokser alle tiders moltedessert.

Dette mangfoldige landet med sine utallige ansikter har likevel et helt spesielt kjennemerke, en fellesnevner som bergtar alle besøkende: lyset. For lyset har humor her nord. Med glimt i øyet gjør det sommeren til en lang dag og vinteren til en lang natt. Natt blir til dag og dag blir til natt. I nord er døgnets 24 timer en klisjé de færreste bryr seg om.

Fra sitt rikholdige fargeskrin strør Skaperen om seg med alle regnbuens sjatteringer til alle døgnets tider hele året.

I den lange sommerdagen maler Han med de gule, oransje og røde fargene, legger brede penselstrøk over havet, skvetter farge på fjelltoppene som renner ned til viddene. I den lange vinternatten males det med de blå fargene. Lyseblått, mørkeblått, azurblått med umiskjennelig grønnskjær. Det gjennomsiktige lyset som om sommeren tegnet fjellene i skarpskårne, skreddersydde moteklær, erstattes av det duse som gir dem en drakt av ullen og lodden vadmel. Havet og landet går i ett. En blek tinnmåne skrangler i berg- og dalbane over en blå verden.

I de kullsvarte stjerne-nettene når alt er kaldt og mørkt, får de tålmodig ventende en gave, en oppfordring til å holde ut til det igjen blir lys og varme. Skaperen blander grønne og røde farger og lar penslene danse over himmelhvelvingen, lager diskotek for englene med lysorgel og knitrende synthesizer. Nordlyset er skuespillet forbeholdt de trofaste vinterboerne.

Og så skjer det da, omsider, at lyset flommer fra en sol som aldri går til hvile. Hele landskapet og alt liv yrer med ett av ør glede, dette er belønningen for tålmodighet og nøysomhet gjennom den lange, kalde natten! Et mirakel som ingen kan glemme når det en gang er opplevd. Lyset og varmen legger seg rundt hjertet for alltid.

Åh ja, Vårherre visste hva han gjorde da han skapte landet og lyset en hårsbredd fra toppen av verden!

Pål Hermansen

NORTH NORWAY

The landscape in northern Norway can be overwhelming. Here, on the route to Spitzbergen and the North Pole, one third of the kingdom is spread from Saltfjell to the North Cape. The coast is more rugged here, the islands are larger, the mountains steeper, and the highlands vaster. The people are fewer and the loneliness greater. The winds are stronger and the snow sharper in the winter. The wings of birds beat faster in the summer, and the birch-clad slopes are greener.

For decades the Hurtigruta, or coastal steamers, have been the very life nerve of this long, narrow wonderland, connecting the small, isolated fishing hamlets with more populous areas, sailing between mountain and fjord, island and mainland. Incessently, day after day, they make their way through groundswells and heavy seas, in storms and fair weather – bringing food, medicines, merchandise and love letters.

Northern Norway is well endowed. The sea has always been its most important larder – a friend, but also an enemy, with many lives on its conscious. Farthest north are some of the worlds best salmon rivers. On the endless mountain plateaux graze reindeer that provide meat for Norwegian gourmet dishes, and on yellowing bogs grow cloudberries, the most delicious of desserts.

This varied country, with its countless faces, has, however, one very special distinguishing characteristic, a common denominator that bewitches all visitors: the light. The light here up north has a sense of humour. With a glint in the eye, it turns summer into one long day and winter into one long night. Night turns into day and day turns into night. In the north, the fact that a day has 24 hours is a cliché that very few pay any attention to.

At all hours throughout the year Our Creator scatters all the nuances of the rainbow from His copious paint-box.

During the long summer day, He paints, using yellow, orange and red colours, spreading wide brushstrokes across the sea, splashing colour on the mountain tops looming above the plateaux. During the long winter night, He turns to the blue colours: light blue, dark blue, azure blue with an unmistakable touch of green. The transparent light which sharply outlines the mountains in tailor-made fashions in the summer is replaced by a softer light that clothes them in woolly, rough homespun. The sea and land become one. A pale tin moon lumbers like a roller-coaster across a blue world.

Those who patiently wait through the cold, pitch-black, starry nights receive a gift to help them endure until the return of light and warmth. Using a mixture of green and red, Our Creator lets His brush dance across the heavens, creating a discotheque for angels, complete with light organ and crackling synthesizer. The aurora borealis is a theatrical display reserved for faithful winter residents.

And then it finally happens! Light radiates from a sun that never rests. All at once the entire landscape is teeming with life, giddy with joy. This is the reward for the patience and frugality shown during the long, cold night! The light and warmth are lodged in the heart forever.

Yes, The Lord knew what He was doing when He created this country and its light, a hair's breadth from the top of the world!

Norge. Svartisen. Nordland.

NORDNORWEGEN

Die Landschaft ist mächtig im Norden Norwegens. Hier, kurz vor dem Endspurt bei der Fahrt nach Spitzbergen oder zum Nordpol, zwischen Saltfjell und Nordkapp, breitet sich jenes einzigartige, ein Drittel des Königreichs umfassende Gebiet aus, wo die Küste zerklüfteter ist und die Inseln größer, die Berge steiler, die Hochebenen weiter sind als in südlicheren Teilen des Landes. Die Menschen sind weniger an der Zahl, und die Einsamkeit ist größer. Es wehen rauhere Winde und das Schneetreiben im Winter ist frostiger, während die Vögel im Sommer ihre Flügel schneller schlagen und die Birkenhaine intensiver grünen.

Jahrzehnte- und abermals jahrzehntelang bildete die «Hurtigrute» (ein Linienverkehrsschiff zwischen Bergen und Kirkenes) den Lebensnerv schlechthin für dieses langgestreckte Märchenland. Als Bindeglied zwischen kleinen, isolierten Fischersiedlungen und modernen Ortschaften, Bergen und Fjorden, Inseln und dem Festland stampft sie unentwegt, Tag für Tag, durch Brandungen und Sturzwellen, Sturm und Stille – mit Nahrungsmitteln, Medizin, Waren und Liebesbriefen an Bord.

Nordnorwegen ist ein reiches Land. Das Meer war stets die wichtigste Speisekammer, – ein Freund, zugleich aber auch ein Feind, der viele Menschenleben auf dem Gewissen hat. Im äußersten Norden rauschen welche der besten Lachsflüsse der Welt dahin. Auf den endlosen Hochebenen weiden Rentiere, denen sich das Feinste an norwegischer Gourmet-Kost verdankt, und in goldschimmernden Mooren gedeihen die besten Sumpftorfbeerendesserts aller Zeiten.

Dieses vielfältige Land mit all seinen verschiedenen Gesichtern hat jedoch ein ganz spezielles Merkmal, einen gemeinsamen Nenner, der alle Besucher verzaubert: das Licht. Hier im Norden hat das Licht nämlich Humor. Blinzelnd macht es den ganzen Sommer zu einem langen Tag und den Winter zu einer langen Nacht. Und so wie es die Nacht zum Tage macht und den Tag zur Nacht, wird auch der 24-Stunden-Tag zum Klischee, um das sich kaum jemand im Norden kümmert.

Von seiner reichhaltigen Farbpalette macht der Schöpfer fleißig Gebrauch und streut zu jeder Tages- und Jahreszeit mit allen Schattierungen des Regenbogens um sich.

An dem langen Sommertag malt er in Gelb-, Orange- und Rottönen, legt breite Pinselstriche über das Meer, spritzt auf die Berggipfel Farbkleckse, die bis in die Ebenen niederrinnen. In der langen Winternacht wird mit Blautönen gemalt. Hellblau, dunkelblau, azur mit unverkennbarem Grünton. Das klare Licht, das die Berge im Sommer in scharf geschnittenen, maßgeschneiderten Modekleidern gezeichnet hatte, wird nun durch das schummrige ersetzt, das ihnen eine wollene, zottige Lodentracht überzieht. Meer und Land werden eins, und ein bleicher, zinnerner Mond zieht seine Berg- und Talbahn über einer blauen Welt.

In tiefschwarzen Sternennächten, wenn alles kalt und dunkel ist, werden geduldig Wartende beschenkt und ermuntert, so lange auszuhalten bis es wieder hell und warm wird. Grüne und rote Farben mischend läßt der Schöpfer die Pinsel am Firmament tanzen, als wolle er für Engel eine Diskothek mit Lichtorgel und knisternden Synthesizern einrichten. Das Schauspiel des Nordlichts bleibt den treuen Seelen vorbehalten, die den Winter hier verbringen.

Und dann ist es endlich soweit, daß eine Sonne, die nicht untergeht, ihr Licht wie eine Flut verströmt. Plötzlich kribbelt es im ganzen Land vor lauter Lebensfreude; das ist die Belohnung für all die Geduld und Genügsamkeit während der langen, kalten Nacht! Ein Wunder, das niemand vergessen kann, der es je erlebt hat. Licht und Wärme legen sich dabei für immer ums Herz.

Oh ja, Unser Herr wußte was er tat, als er das Land und das Licht gleich neben dem «Gipfel der Welt» schuf!

LA NORVÈGE DU NORD

Les paysages du nord de la Norvège sont grandioses. Dans la partie extrême qui s'achève au Svalbard et au pôle nord, entre les montagnes de Saltfjellet et le Cap Nord, s'étend un tiers du royaume de Norvège, incomparable étendue. La côte y est plus déchiquetée, les îles plus grandes, les montagnes plus escarpées et les plateaux plus vastes que dans la partie sud du pays. Les gens y sont moins nombreux et la solitude plus grande. La bise est plus rude là-haut, et les rafales de neige vous mordent avec plus d'âpreté quand vient l'hiver. Plus vif le vol des oiseaux, et plus verts, l'été venu, les versants couverts de bouleaux.

Depuis des décennies l'express côtier est une véritable source de vie dans ce pays des merveilles aux formes si étirées. Il assure la liaison entre les villages de pêcheurs isolés et les agglomérations modernes, entre fjords et montagnes, îles et continent. Infatigable il vogue et tangue, jour après jour, dans la houle et les vagues déferlantes, par beau temps comme par gros temps, chargé de nourriture, de médicaments, de marchandises de toutes sortes, et de lettres d'amour.

La Norvège du nord est une riche contrée. La mer a toujours été un «garde-manger» fort bien pourvu; c'est une amie, mais aussi une ennemie avide de vies humaines. Tout au nord coulent rapides quelques unes des rivières à saumon les mieux fournies du monde. Sur les plateaux immenses paissent les rennes dont la viande comble les gourmets, et sur les landes dorées pousse le meilleur des desserts: les mûrons arctiques.

Cette région si variée, aux visages si divers a pourtant un signe distinctif qui lui est propre, une sorte de dénominateur commun qui enchante tous les visiteurs: sa lumière. Dans le nord la lumière a de l'humour. D'un air malicieux elle fait de l'été une longue journée et de l'hiver une longue nuit. La nuit se fait jour, le jour se fait nuit. Dans le nord les journées de vingt-quatre heures sont un cliché dont personne ne se soucie.

Toute l'année, à tout instant, le Créateur puise dans son incomparable boîte à couleurs et dispense à profusion toutes les nuances de l'arc-en-ciel. Tout au long du long été il a sur sa palette toute la gamme des jaunes, des oranges, des rouges, il étale sur la mer de larges coups de pinceau, éclabousse de peinture les sommets des montagnes, dont la couleur se met à dégouliner sur les plateaux. Pendant l'unique nuit d'hiver ce sont les bleus qu'il préfère. Bleu clair, bleu foncé, bleu azur teinté d'un vert si particulier. La transparente lumière, qui l'été revêt les montagnes de parures sur mesure aux contours bien définis, se voit remplacée par une lumière plus douce qui leur donne un vêtement de bure doux et velouté. La mer et la terre ne font plus qu'un. Dans un irréel décor de montagnes une lune d'étain, blême, se balance au-dessus d'un monde bleu.

Par les sombres nuits étoilées, quand tout est froid et noir comme l'encre, ceux qui savent attendre, ceux qui savent patienter reçoivent en échange le don de pouvoir tenir bon jusqu'au retour des beaux jours. Le Créateur marie le vert et le rouge et laisse danser ses pinceaux sur la voûte du ciel. Il crée pour les anges une ambiance de discothèque avec jeux de lumière et synthés qui crépitent. L'aurore boréale est un spectacle réservé aux hôtes d'hiver les plus fidèles.

Et puis voilà qu'un beau jour la lumière se met enfin à jaillir d'un inépuisable soleil. La nature enivrée a des fourmillements de bonheur, la vie exulte tout à coup: c'est ainsi qu'est récompensée la patience, la frugalité dont on a fait preuve pendant la longue et froide nuit d'hiver! Il suffit de vivre ce miracle une fois pour ne plus jamais l'oublier. La lumière et la chaleur habitent alors votre coeur pour toujours.

Nul doute, le bon Dieu savait ce qu'il faisait le jour où il a créé ce pays, cette lumière, à deux pas du sommet du monde.

EL NORTE DE NORUEGA

El paisaje es poderoso en el Norte de Noruega. Aquí al final del camino hacia Svalbard y el Polo Norte, desde Saltfjellet hasta Nordkapp, se extiende una tercera parte del reino, de carácter único. Aquí se encuentra la costa más desgarrada, las islas más grandes, las montañas más escarpadas y la meseta más amplia que más hacia al sur. La población es más escasa y la soledad más grande. Los vientos son más duros y las nevascas azotan más fuerte durante la época invernal. Las alas de los pájaros son más ágiles y los declives de bétulas más verdes en la época veraniega.

Durante un número infinito de décadas, el transbordador de la ruta boral ha sido y sigue siendo la vena de vitalidad de este extenso paisaje de cuentos, el elemento de contacto entre las pequeñas aldeas pesqueras aisladas, y los pueblos modernos; entre fiordo y montaña, entre isla y tierra firme. Sin cesar busca su camino atravesando suaves oleajes y olas grandes; tempestades y aires calmados, trayendo comestibles, medicina, mercancía y cartas amorosas.

El Norte de Noruega es una tierra rica. El mar siempre ha sido el depósito de provisiones más importante, – un amigo; pero también un enemigo culpable de muchas vidas extinguidas. En lo más al norte corren fuertes y poderosos los ríos más exquísitos del mundo en abundancia de salmón. En los vastos sin fin pastan los renos que engendran la carne gastronómica noruega; y en pantanos amarillentos crece el rico postre de frutos silvestres.

Esta tierra variada con su amplia gama de rostros, tiene un rostro único y especial, un denominador común que maravilla a todos los visitantes: La luz.

Pues la luz tiene un cierto sentido de humor aquí al Norte. Guiñando el ojo hace del verano un solo día largo; y convierte el invierno en una noche duradera. La noche se convierte en día, y el día se convierte en noche. En el Norte no se emplea el menor significado al cliché de los 24 horas del día.

Desde su estuche de colores, el Creador derrama todas las facetas del arco iris a cualquier hora durante todo el año.

Durante los días extensos del verano pinta con colores amarillo, naranja y rojo, difundiendo pinceladas sobre el mar, salpicando colores a los picos de las montañas, que fluyen desde los picos hasta las mesetas. Durante la larga noche de invierno pinta con los colores azules. Azul claro, azul oscuro, azul mezclado de una claridad de tono verde. La luz transparente que en el verano cotiza las montañas vestidas en ropas de corte moderno y nítido, es sustituído por la luz suave que las viste en ropaje de lana gruesa, lanoso y peludo. El mar se confunde con la tierra. Una pálida luna de estaño atraviesa un mundo azulado.

En las negras noches estrelladas cuando todo es frío y oscuridad; reciben las almas pacientes un regalo, una inspiración para aguantar hasta que vuelvan la claridad y la templadez. El Creador mezcla los colores verde y rojo, y deja los pinceles bailar sobre la bóveda celeste, donde los ángeles gozan del hermoso resplandor de colores mágicos. La aurora boreal es un teatro reservado por los fieles habitantes que resisten el invierno.

Sucede al final, que vuelve a fluir la luz de un sol que nunca descansa. Repentinamente pulula el paisaje entero, de alegría aturdida – ¡esto es el premio que recibe ya por la paciencia y parsimonia que mostraba durante la larga noche! Esto es un milagro que no se puede olvidar nadie, una vez ya vivido. La luz y el calor se guardan en el corazón para siempre.

Ay, Nuestro Señor sabía lo que estaba haciendo cuando creó el país y la luz – ¡ubicados a dos dedos del fin del mundo!

北ノルウェー

壮大な北ノルウェーの大自然。北極への玄関口で、世界の最北端にあるスバルバード島。サルトフィエレからノールカップまでの間に、全国土の三分の一と独特の大自然がひろがる。険しい山なみ、はてしなくひろがる平原、のこぎりの刃のような海岸線とそこに散在する大きな島々。極寒の冬、孤独で人口の少ない北ノルウェー。冬には冷たい雪が肌をさし、南部よりも風が強く、野鳥の羽も早く忙しくはばたく。そのかわり、夏になると、山々の白樺が一層美しく鮮やかな緑に輝く。

この長い海岸線沿いの島々と本土、山とフィヨルド、辺鄙な村落や漁村と近代的な都市や町とを何世代にもわたってつないできた沿岸急行連絡船、「フッティ・ルータ」。晴れた日も嵐の日も荒波を越え、夜昼なく、食料・薬・商品はもちろん、贈物や愛情のこもった手紙等も、運び続けてきた。

資源が豊富な北ノルウェー、その大切な食料の宝庫、海。時には戯れ遊べる友であり、また時には命をかけて戦うべき敵でもある海。最北部には、世界でも最高クラスのサケ釣りの川が多数あり、はてしない広原に草をはむトナカイは、ノルウェー独特のグルメ料理の材料となり世界の食通を喜ばせ、また、高級デザートとなる「ムルテ」とよばれる黄金色の高山植物の草の実は、秋になると湿地や高原にふんだんに実る。

この多様性にみちた北ノルウェーの自然の唯一の共通点、「光」。それは、ここを訪れる人々を魅惑してやまない。独特で変化にみち、「表情」があり、「きまぐれ」だともいわれるこの光は、夏には昼を長くし、冬には夜を極端に長くするので、夜が昼になってしまったり、昼が夜になったりする。ここでは一日24時間という普通のことが、当然の事実として通じないのだ。

Nordkap.

一年中夜昼となく、神が色とりどりの虹色の絵の具をまき散らしているような、北ノルウェーの光。日の長い夏には、海の上を絵筆で描き、山の上方にふりかけた絵の具が山頂の高原に流れ、すべてが黄色・オレンジ・赤で彩色される。長い冬の夜は、ブルー・トーン：水色・紺色・空色・青緑。夏には、透明な光がくっきりとした山なみを、あつらえのファッション服のように彩る。それが冬の訪れとともに、いつのまにか羊毛や柔らかい粗織りの布に変わり、淡色がすべてを包み、海も陸も一つとなる。この青一色の世界の中で、銀色がかったあわい錫色の月が疲れたように天蓋を移動する。

寒さと闇と星空だけの暗い冬。光と暖かさが再来する春まで、長い間辛抱強く待ち続ける北の住民。そんな彼等のために、あたかも創世主が報いと恵みとを与えるかのごとく、「ノールリュス（北の光）」とよばれるオーロラが現われ、黒一色の夜空を飾ってくれる。天の神は天蓋に絵筆をおどらせ、緑と赤とをさまざまに混ぜあわせながら、光のパイプオルガンとパチパチと光がはねるシンセサイザーとで、天使の踊る光の舞踏会を夜空に開く。長く暗い冬を北に過ごす住民達だけに神が与える大自然のショー、それがオーロラなのだ。

ある日突然、光が洪水のようにあふれ出し、沈むことをしらぬ太陽が地平線上に出たままにして輝き、大地や生きとし生けるものすべてが歓喜に満ち、生命を謳歌するようになる。長く寒い冬と夜の期間を、じっとひたすら堪えてきた者にしかわからない、この感激、奇跡。たった一度でも体験すれば忘れられない、光と暖かさの感触。これは、神が彼等に与える報償である。この地球の最上部に近い極寒地に神が大地と光が作られた時に、きっとそれをも考慮してこのように造られたのだろう。

（文：ポール・ヘルマンセン，日本語：木村博子）

Klar til avgang!
Velkommen ombord
til en reise gjennom Nord-
Norges verden av små og
store opplevelser. Hurtigruta
er den selvskrevne
følgesvenn, den unike
kystekspressen som på en
uke spinner en tråd mellom
sør og nord.

*All aboard! Welcome on a
journey through the
world of North Norway, full of
experiences both big and
small. The coastal steamer is,
of course, our means of
transport. In a week's time,
this unique coastal express
spins a thread between the
north and the south.*

15

Sagnet forteller at Torghatten tilhørte kongen av Sømnafjellene og ble gjennomhullet av en pil i et basketak mellom øyene i havgapet. Geologene forteller heller en historie om erosjon, vann og is. Om natten leker Vårherre seg med snurrebass på himmel-hvelvingen, og lar tinder være tinder og trær være trær.

A saga tells that Torghatten belonged to the king of Sømnafjellene and was pierced by an arrow in a battle between the islands at the mouth of the fjord. Geologists, however, tell another story, about erosion, water and ice. At night Our Lord plays with His humming top in the firmament, letting peaks be peaks and trees be trees.

K jerringøy gamle handelssted er stedet hvor tiden har stått stille. Kom inn og opplev atmosfæren fra forrige århundres sydende liv, da alle vannveier førte hit.

T ime has stood still at the old trading post of Kjerringøy. Come in and experience the busy atmosphere from the last century when all waterways led here.

Nordland er langt og vilt. Når nattsola skjener inn mellom glatte granittfjell i Rago nasjonalpark og lyser opp lekende vannmasser, blir bena med ett så lette og lykkelige. Det til tross for at de noen minutter før var iferd med å knekke sammen av tung bør og bratte kneiker! Og når du ser bjørkene lene seg mot Hamarøyskaftet, som dukker opp som Fugl Fønix fra tåkehavet, kiler det i magen av redsel for at hele verden plutselig skal bli til hvit bomull.

Nordland is long and wild. When the midnight sun shines in between the smooth, granite mountains in the Rago National Park, illuminating frolicking masses of water, one's feet suddenly become light and buoyant, in spite of the fact that you were just about to break down under your heavy load and steep rises. When you see the birches lean out towards Hamarøyskaftet, jutting up like a Phoenix through the sea mists, you get a funny feeling in your stomach, a fear that the whole world may suddenly turn into white cotton.

Møtested Lofoten. Midnatt-solen er lyskaster i megawatt-klassen på Værøy fyr, mens fuglene farter rundt og bor i trivelige hus.

The meeting place is Lofoten. The midnight sun is a beacon in the megawatt class on the Værøy lighthouse, and the birds fly around and live in pleasant houses.

23

24

D en forrykende
  dramatiske – og lune –
øyrekken som har vokst fram
fra havet av 2,6 milliarder år
gammelt grunnfjell, er en
heksegryte av tinder og lys,
kultur og natur. Det lille
stedet Reine er essensen av
Lofotens sjel.

T his violent, dramatic –
and sheltered – range of
islands, that sprang up from
the 2,6 billion year-old
bedrock, is a witches' cauldron
of peaks and light, culture and
nature. This little place, Reine,
epitomizes Lofoten's soul.

26

Vestvågøy, i sentrum av Lofoten, byr på bratte fjell, blåne bak blåne og lysende sandstrender. Lofotens sandstrender slår med glans ut sørlige breddegraders bademetropoler, og havets blåfarge kan konkurrere med Sydhavs-paradisene. Temperaturen derimot blir nok aldri den samme, selv om Golfstrømmen gjør så godt den kan.

Vestvågøy, in the centre of Lofoten, offers steep mountains, blue horizons and bright sandy beaches. Lofoten's beaches win with flying colours over the cosmopolitan resorts in more southern latitudes, and the sea's blue colour can compete with that of South Sea paradises. The temperature, however, will never be able to do the same, even though the Gulf Stream tries as hard as it can.

Menneskene har levd og virket på Lofoten-øyene i tusener av år. Fra første stund har de imidlertid skjønt at naturen har overtaket. De bygger og bor og strever med sitt mens natten og dagen, sola og månen går sin vante gang mellom fjellene. Er det månen som har sklidd ned der borte? Nei, sannelig har ikke menneskene prøvd å drive gjøn med mannen i månen ved å rette en lommelykt mot Sildpollen-kapellet!

People have lived and worked on the Lofot Islands for thousands of years. Right from the start, however, they have understood that Nature has the upper hand. They build, live and toil while, night and day, the sun and the moon run their regular course between the mountains. Has the moon slid down over there? No, it seems as though the people have tried to make fun of the Man in the Moon by shining a flashlight on the Sildpollen chapel!

Havet og fisket, det er det alt dreier seg om for lofotværingene. Og så været da. «Han e grov i dag, sjyen,» sier kallen med hendene i bukselinningen. Og da mener han virkelig grov!

Lofot Islanders are preoccupied with the sea and fishing. And the weather, of course. «He's a bit rough today, the sea,» says an old fisherman. And by that he means really rough!

Ikke bare havet, men også livet har gått i bølger for fiskeren i Lofoten. I år med svart hav har det vært konkurser og utbetalinger fra fattigkassa. I kronår kom skreien inn i så store mengder at det ble kul på havet. Da var det duket for bekymringsløst liv i sus og dus.

Not only the sea, but life itself moves in waves for Lofot fishermen. Years with a black sea mean bankruptcy and the dole. In bumper years the cod is so abundant that the sea virtually teems. Then times are ripe for a carefree life of riot and revel.

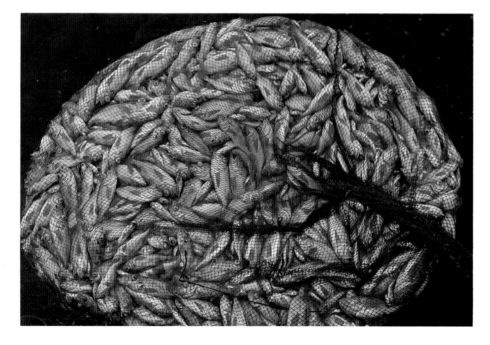

Lyset leker over hvite tinder ved Hamnøy. Når flåten kommer inn med full last, blir det liv og røre i fiskemottaket. Rekkene med fiskehjeller, Lofotens nakne, sprikende friluftskatedraler, får tette tak av lutefisk-aspiranter.

The light plays upon the white peaks at Hamnøy. When the fleet returns heavy laden, there is hustle and bustle on the fish docks. Rows of fish drying racks, Lofoten's bare, sprawing open-air cathedrals, are soon covered with fish that may wind up as the Norwegian speciality, lutefisk.

I august slapper sola av noen timer hver natt. Ved havna i Nykvåg i Vesterålen slåss den med angripende uværsskyer og sender ut en liten flamme klokka fire om morgenen. Så vinner overmakten. Snart brer høstfargene seg over Vesterålens slake landskap. Men strendene er like innbydende, tilsynelatende.

In August the sun rests for a few hours every night. In the harbour at Nykvåg it battles with attacking storm clouds, sending out a tongue of fire at four o'clock in the morning. It then gets the upper hand. Autumn colours soon spread out over Vesterålen's rolling landscape. But, apparently, the beaches are just as inviting.

ndøya er en avlang
rislapp med jordbær-
topper på. Myr og myr møter
øyet så langt det kan se,
avbrutt av et og annet
såtefjell. I nord er landskapet
mer forrevent, og ute i havet
troner Bleiksøya, hjemsted
for en hærskare vingede
skravlebøtter. Mens det syder
av liv på Bleiksøya, er det så
stille at du kan høre snøen
smelte et par mil unna, der
småbrukeren oppga gård og
grunn for mer enn en
generasjon siden.

39

ndøya is an oblong
pancake with
strawberry tufts. Marsh after
marsh meets the eye as far as
one can see, broken here and
there by haystack-shaped
mountains. The landscape to
the north is more rugged, and
out at sea majestic Bleiksøya is
home for a host of winged
chatterboxes. While Bleiksøya
teems with life, it is so quiet a
few miles away that you can
hear the snow melt where a
small holder abandoned farm
and land for over a generation
ago.

Senja er rolig og frodig, Senja er vill og karrig. Det kommer helt an på hvor du befinner deg. På «innersida» i sør er det rolige, furukledde åser, mens det på «yttersida» i nord er tinder så takkete at de river himmelen til blods. Kystfiskeren har ingen parkeringsproblemer for sjarken og bruket sitt i regntunge sommernetter. Her er det godt om plass nå for tida.

Senja is calm and luxuriant. Senja is wild and barren. It all depends upon where you are. On «the inside» in the south, you find gentle, pine-covered hills, but on «the outside» in the north, there are peaks so jagged that they rend the skies. The coastal fisherman has no problems parking his boat on rainy summer nights. There is lots of room here for the time being.

Furuene reiser seg opp
fra nattesøvnen og
beundrer utsikten til Otertind
i Signaldalen, mens lyset leker
sisten der ute i
Lyngenfjorden.

*The pine trees rise from
their night's sleep to
admire the view towards
Otertind in Signaldalen, while
the light plays tag out on the
Lyngenfjord.*

Bålet flammer i hunde-
kjørerens lavvo, som
en skjærsild sjelen skal passere
før den kan vandre ut i
drømmenes blå landskap,
stige opp til Jiekkevarres topp
og ligge på magen med utsikt
over Lyngsalpene og verden.

$\longrightarrow$

*The fire burns brightly in the
dog team driver's tent,
like a purgatorial flame the
soul must pass through before
it can wander out into the blue
landscape of dreams, climb up
to the top of Jiekkevarre to lie
on its stomach, looking out
towards the Lyngsalpene and
the world.*

Hvor mange bjørker er
det på Finnmarksvidda,
hvor mange eksemplarer er
det av dette eneste treet som
kan leve med naturens luner
her nord? Som kan flamme i
ild i september, og et par
måneder senere trives i
drepende kulde under en
knitrende nordlysparaply.
Spør en same, og han vil
tygge lenge på svaret.
«Mange,» kommer det til
slutt, med vis manns røst.

46

*How many birch trees are
there on the
Finnmarksvidda? How many
specimens are there of this
tree, the only tree that can
survive Nature's capricious
moods up here in the north?
That can blaze like fire in
September, and a few months
later feel comfortable in the
deadly cold under a crackling
umbrella of northern lights.
Ask a Lapp, and he will ponder
long before answering in a
voice full of wisdom: «Many.»*

Hvor mange reinsdyr er det på Finnmarksvidda, hvor store bølgende, løpende horder av klauver og horn finnes det på den langstrakte vidda? «Mange,» er svaret igjen. Ingen vet hvor mange det er, og ingen vil vite.

How many reindeer are there on the Finnmarksvidda? How many large, surging, trampling hordes of hooves and horns are to be found on the extensive plateau? «Many,» is again the reply. Nobody knows how many there are and nobody wants to know.

Margebeinsgryta i lavvoen er samlings- stedet for samefamiliene i påskehelgen. Når bålet flammer, stiger røykskyen til værs og åler seg ut gjennom ljoren. Når natten kommer, blir reingjeteren igjen alene. Ilden og kaffekjelen er det eneste selskapet.

At Easter Lapp families gather around a kettle of bone-marrow broth in the tent. A cloud of smoke rises from the fire to creep out through the smoke vent in the top. When night arrives, the reindeer herdsman is once again alone, the fire and the coffee pot his only companions.

Både samene og reinen er borte fra vidda når nattbrisen stryker de sommer-grønne bjørkekjerrene over hodet.

De er dratt ut til kystlandet. Men andre er kommet i stedet, som fiskerne – og myggen.

Both the Lapps and their reindeer have left the plateau when the night breeze caresses the summer-green birch thickets. They have gone to the coastal lands. But others replace them, such as anglers and mosquitoes.

På Nordkapp stuper landet brått i havet. Verden er slutt og turistene har nådd målet for reisen. Skal det virkelige eventyret oppleves her ute, må det imidlertid en vinterdag til.

At the North Cape the land dives right down into the sea. This is the world's end and the tourists have arrived at their destination. To really experience the magic of this place, however, you should be here on a winter's day.

Lenger øst skjærer Varangerhalvøya seg ut i havet. Et land av stein og fjellskulpturer. Men her gnir også krykkjene seg utover det blå lerretet i sene nattetimer.

Farther to the east, the Varanger peninsula carves its way out into the sea. A land of stone and mountain sculptures. And kittiwakes streak across the blue canvas in the late hours of the night.

Det er ikke akkurat prangende boliger som lyser i sensommersola ved Nesseby. Men noen malingklatter gjør underverker. Høst og vinter hjelper det imidlertid lite. Da er fargene borte, alt toner i sandgrått og kaldblått.

Resplendent is perhaps not the right word to describe these dwellings shining in the late summer sunlight on Nesseby. But a few dabs of paint can do wonders. They are, however, of little help in autumn and winter, when all colours disappear and everything turns a sandy-grey or cold blue.

Selv om landet slutter her, er likevel ikke Norge slutt. Det ligger enda et rike der nord, Svalbard, Nordpolens gjenboer. Arktisk tundralandskap med enorme breer som drønner rett i sjøen, spisse fjell og en magisk tiltrekningskraft. Svalbardvalmuen vitner likevel om yrende liv i hektiske sommermåneder, mens drivisbeltet ligger på lur.

Even though the land ends here, Norway does not. There is still a realm farther north, Spitzbergen, neighbour to the North Pole. An arctic tundra landscape, with gigantic glaciers that crash right down into the sea, jagged mountains and a magical attraction. The Svalbard poppy, however, bears witness to a teeming life during the hectic summer months, while the belt of drift ice lies in wait.

Om sommeren er kongen av Arktis på seiltur. Isflakene seiler sakte sin egen sjø i traktene ved Nordaustlandet, og på dem har den hvite bamsen sin residens.

The king of the Arctic is out on a summer cruise. The ice floes sail slowly over the sea in the Nordaustland region, and it is here the polar bear has his residence.